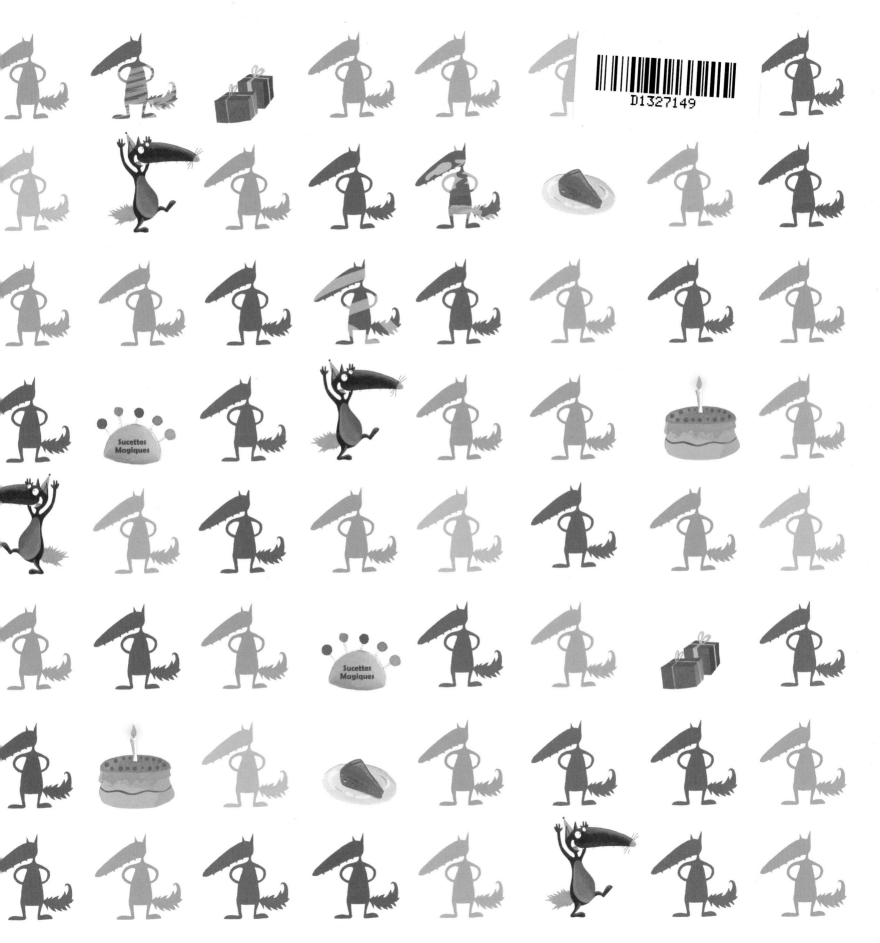

D1327149

À ma Sacha, grande spécialiste ès anniversaires.
À vous tous, que chaque anniversaire soit fête !
OL

À vous qui grandissez avec Loup.
ET

Le loup
qui fêtait son anniversaire

Texte de Orianne Lallemand
Illustrations de Éléonore Thuillier

AUZOU

Par un bel après-midi d'été, Alfred toqua à la porte de Loup.
« Salut, Loup ! Tu viens faire une partie de foot avec nous ?
— Avec plaisir, répondit Loup. J'en profiterai pour vous parler
de mon anniversaire. Cette année je voudrais... »
Loup ne termina pas sa phrase. Alfred avait déjà filé.

3

Dans la forêt, le match venait de commencer.
« Bonjour Louve, fit Loup. Qui mène ?
— Les Rouges, hélas. Il est temps que
tu interviennes !
— J'arrive les copains ! » cria Loup
en se précipitant sur le terrain.

Il y eut un moment de pagaille et puis :
passe de Loup, dribble d'Alfred, cri effrayant
de Demoiselle Yéti et but pour les Bleus. Youpi !

Ce fut un match très serré, mais les Bleus finirent par l'emporter.
Profitant de la bonne humeur générale, Loup annonça :
« Écoutez-moi, tous. Cette année, j'ai décidé de faire
une **super** fête pour mon anniversaire ! Ce sera samedi prochain,
à la maison. »
Tout le monde se regarda d'un air gêné.

« Zut alors, commença Valentin, samedi je suis invité chez mon copain Lucien.

— Moi j'ai un match de basket que je ne peux pas manquer, désolé, fit Alfred.

— Samedi, j'ai mon cours de cuisine, dit Gros-Louis.

— Et moi je dîne avec ma copine Loudivine » murmura Louve.

??!!

Loup sentit ses moustaches picoter et 1, 2, 3...
il explosa. « C'est bon, j'ai compris !
Ne vous inquiétez pas, on fêtera
mon anniversaire l'année prochaine.
Allez, salut la compagnie ! »

Furieux, Loup partit bouder dans la forêt.
Il avançait au hasard, shootant dans les cailloux,
les bouts de bois, les... **BING !**

« Aïe ! fit Loup en se tenant le pied. Qu'est-ce que c'est que ce truc ? »

Il se baissa pour ramasser l'objet. C'était une drôle de bouteille, toute dorée et fermée par un étonnant bouchon sculpté.

Intrigué, Loup examina la bouteille de plus près.
Que pouvait-il bien y avoir à l'intérieur ?
Il hésita un instant puis la déboucha avec précaution.

Aussitôt : **ZLIP, ZLOUP, ZLAHOU !** Un nuage de poussière dorée
s'échappa de la bouteille et prit forme au-dessus de Loup.
« Salut Loup, c'est ton jour de chance aujourd'hui car
je suis un génie ! Tu as trois vœux et je suis là pour les exaucer.
Parle, je t'écoute. »

Stupéfait, Loup observa l'étonnante apparition. Cette rencontre tombait très bien : il en avait assez de la forêt et de ses amis.

Tout l'univers

14

« Je voudrais être ailleurs, fit Loup. Très très loin d'ici.
— Que ton vœu soit exaucé ! » répondit le génie.

Et **ZLIP, ZLOUP, ZLAHOU !** Tout pétilla autour de Loup et il disparut.

Loup reprit connaissance dans une grande plaine rouge, couverte de crevasses et de cailloux.

« Bienvenue sur la planète Mars ! claironna le génie. C'est le plus loin que j'ai trouvé. J'espère que tu es satisfait.
– Pas du tout! cria Loup, affolé. J'imaginais quelque chose de, euh... plus joli.
– Fallait le dire plus tôt, Loupiot ! » soupira le génie.

Et ZLIP, ZLOUP, ZLAHOU !

18

Cette fois, c'était beaucoup mieux !
Du soleil, une plage de sable fin, la mer bleu turquoise...
« Et voilà ! fit le génie fier de lui, une île paradisiaque
rien que pour toi. »

Loup se baigna, grignota, dormit, se baigna, grignota... et s'ennuya.
« Ah, si seulement mes copains étaient là... », pensait-il.
Mais il se renfrognait juste après : « Pfff, de toute façon,
mes copains s'amusent très bien sans moi. »
Et c'est vraiment ce qu'il croyait.

Pour s'occuper, Loup décida d'explorer l'île. Il fit quelques mètres dans la jungle, ouvrant son chemin à coups de machette. Comme c'était fatigant ! Et tous ces moustiques qui lui tournaient autour, très énervant !

« Encore heureux qu'il n'y ait pas de serpent, marmonna Loup, je déteste les serpents. » C'est à cet instant précis qu'un python de Papouasie tomba sur lui.

Doucement, tranquillement, l'énorme bête resserrait ses anneaux autour de Loup. Dans un dernier effort, Loup frotta la bouteille trois fois. Et le génie fut là.

« Que puis-je pour toi ? fit-il.
Un dernier vœu, peut-être ?
– Je... ren... trer... mai... son,
articula Loup faiblement.
– Qu'il en soit ainsi !
soupira le génie. Mais franchement,
j'espérais mieux comme
troisième vœu. »

Et **ZLIP, ZLOUP, ZLAHOU !**

Quand Loup ouvrit les yeux, ouf ! il était de retour
dans sa forêt. « Ah, te voilà enfin ! s'écria Maître Hibou.
Où étais-tu passé ? On t'a cherché partout !

— Je... euh... me suis endormi dans la forêt, balbutia Loup.
— Tu es parti bouder, plutôt ! Quel fichu caractère tu as ! Allez,
rentre vite chez toi, et ne t'endors pas en chemin cette fois. »
Loup se mit en route, impatient de retrouver sa maison,
ses chaussons et... son lit.

Avec un soupir de satisfaction,
Loup ouvrit la porte de sa maison.
Un énorme carton l'attendait,
posé au milieu du salon.

« Qu'est-ce que c'est que ça, encore ?
marmonna Loup.
Je n'ai rien commandé, moi. »
Il s'approcha du carton, quand soudain...

Haut

Bas

FRAGILE

« Surprise ! JOYEUX ANNIVERSAIRE, LOUP ! »
Loup fut submergé par un océan de confettis et d'amitié.
Il l'avait oublié, mais c'était son anniversaire aujourd'hui !

« Et moi qui pensais que vous vous moquiez
de mon anniversaire... fit-il tout penaud.
— On avait déjà prévu de t'organiser un anniversaire,
gros nigaud ! rigola Valentin. Il fallait bien
qu'on joue la comédie. »

Louve tendit à Loup une petite enveloppe.
Le cœur battant, Loup l'ouvrit et lut :

« Cher Loup, tu viens de gagner une semaine à la mer
avec les meilleurs copains de la terre. Départ :
après la fête ! Tes amis qui t'aiment. »

Loup regarda ses amis et sourit. Ce n'était pas aujourd'hui qu'il retrouverait son lit ! Tant pis. Et tant mieux aussi !

Direction générale : Gauthier Auzou
Responsable éditoriale : Laura Levy
Maquette : Annaïs Tassone
Fabrication : Nicolas Legoll
Relecture : Lise Cornacchia

© 2014, Éditions Auzou
Droits de traduction et de reproduction réservés pour tous pays.
Loi n° 49-956 du 16 juillet 1949 sur les publications destinées à la jeunesse.
Dépôt légal : août 2014
ISBN : 978-2-7338-2991-2

www.auzou.fr

 Rejoignez-nous sur Facebook et suivez l'actualité des Éditions Auzou.
www.facebook.com/auzoujeunesse

Retrouvez la collection des « p'tits albums » en format souple

 Renard et les trois œufs

 Moustache ne se laisse pas faire

 Octave ne veut pas grandir

 Roucoule est amoureuse

 Petite taupe ouvre-moi ta porte !

 Zafo le petit pirate !

 Le loup qui voulait changer de couleur

 La chauve-souris l'étoile

 Croquette devient grand frère

 Armande la vache qui n'aimait pas ses taches !

 Berlingot est un superhéros

 Le loup qui s'aimait beaucoup trop

 La petite souris et la dent

 Rosetta n'est pas cracra !

 Petit panda cherche un ami

 Sa majesté Léonardo n'en fait qu'à sa tête

 Séraphin, le prince des dauphins

 Crocky le crocodile a mal aux dents

 Robin, le petit écureuil des bois

 Mika l'ourson a peur du noir

 Martin le pingouin a un nouveau voisin

 Le loup qui cherchait une amoureuse

 Le loup qui ne voulait plus marcher

 Ferdinand le Papa Goéland

 Petit Castor reçoit un drôle de cadeau !

 Manolo le blaireau se prépare pour l'hiver

 Renato aide le Père Noël

 Le loup qui voulait être un artiste

 Camille veut une nouvelle famille

 Chouquette et les Secrets Magiques

 Clotilde part en colonie de vacances

 Cédric veut être fils unique !

 Pipo raconte n'importe quoi !

 Le loup qui voyageait dans le temps

 Sami le ouistiti, prince d'Amazonie

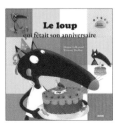 Le loup qui fêtait son anniversaire